0,50

Een boom in de klas

Betty Sluyzer

Met tekeningen van
Pauline Oud

Uitgeverij De Eekhoorn

STICHTING NEDERLANDSE
KINDERJURY
2000

Copyright © 1999 bij Uitgeverij De Eekhoorn BV, Oud-Beijerland
Gedrukt bij Drukkerij Hooiberg BV, Epe

CIP-gegevens Koninklijke Bibliotheek, Den Haag

Sluyzer, Betty

Een boom in de klas / Betty Sluyzer
Omslag en tekeningen van Pauline Oud
Opmaak: Manon Zeijlstra
Oud-Beijerland: De Eekhoorn BV. - ill.- (Zeester-serie)
ISBN 90-6056-624-6
NUGI 220
Trefwoord: jeugdboeken; verhalen

Inhoud

De Zeester-serie:

Monstervissen

De zwarte rotsen

De giftige duizendpoot

De gemaskerde hond

Een boom in de klas

Verdwenen

Een fiets

Gideon staat onder de douche met zijn ogen
dicht.
Zijn haar zit vol shampoo.
Intussen denkt hij aan school.
Aan wat hij zijn vrienden allemaal zal vertellen
als hij terug is.
Op dat moment gaat de telefoon.
'Ja, doei,' roept Gideon tegen de telefoon.
'Ik sta onder de douche, hoor.'
Maar de telefoon blijft rinkelen.
Tien keer, elf keer.
Snel doet Gideon een badjas aan.
Met natte voeten loopt hij naar de kamer.
Hij maakt zijn hand even droog en neemt de
telefoon op.
'Met Gideon.'
'Dag knulletje, je spreekt met Isabel.'
Dat wist ik al, denkt Gideon.
Isabel is de enige die hem knulletje of ventje
noemt.
Gideon heeft daar een vreselijke hekel aan.
'Ben je daar nog, ventje?'
'Ja, Isabel.'

'Mooi. Zeg luister eens.
Ik heb wat fietsen geregeld voor de
hotelgasten.
Wil jij soms ook een fiets?'
Gideon kijkt al wat vrolijker.
'Ja, tof, een fiets.
Hoeveel versnellingen zitten erop?
Twaalf of nog meer?'
'Van versnellingen weet ik niets.
Het zijn gewoon fietsen.
Kom nou maar naar beneden.
Ze worden nu uitgeladen aan de achterkant
van het hotel.'
'Ja, oké, ik kom.'

Gideon legt de telefoon neer en kleedt zich snel
aan.
Hij neemt de lift naar beneden.
Achter het hotel staat een grote vrachtwagen.
Er staan al twintig fietsen op de straat, maar er
worden nog steeds fietsen uitgeladen.
Op de grond ligt een berg fietshelmen.
Isabel staat er ook bij te kijken.
Als ze Gideon ziet, slaat ze een arm om hem
heen.

'Kijk eens wat een mooie fietsen.
Daar zit er wel een bij, die jij kunt gebruiken,
toch?'
Isabel is eigenlijk best aardig, denkt Gideon.
Maar waarom doet ze toch altijd zo
overdreven?
Hij doet een stapje opzij en wijst.
'Er zitten ook mountainbikes bij.
Daar wil ik wel op fietsen.
Vindt u dat goed?'
Isabel knikt.
'Ja, hoor.
Zoek er maar eentje uit.
Straks geef ik je wel een kaart.'
Gideon snapt niet wat Isabel bedoelt.
'Bedoelt u een ansichtkaart?'
Isabel begint te lachen.
'Nee, Gideonbonbonnetje.
Ik bedoel een landkaart, waar alle wegen op
staan.
Of wil je zomaar een eind weg fietsen?'
Gideon wordt rood en schudt zijn hoofd.
Hij zoekt een mountainbike uit en stapt erop.
Het zadel zit veel te hoog.

Isabel wil al naar hem toe lopen om hem te helpen.
Snel stapt Gideon weer af.
'Deze is iets te groot voor mij.
Ik neem wel een andere.'
Er staan fietsen in verschillende maten.
De derde fiets die Gideon probeert, is goed.
'Deze blauwe is precies goed.'
'Mooi,' zegt Isabel.
'Loop nu maar mee naar kantoor.
Dan geef ik je een kaart.'
Gideon zet de fiets tegen de muur en zet hem op slot.
Dan rent hij achter Isabel aan.
Ze doet een la open en geeft hem een klein kaartje.
'Dit is een kaartje van de omgeving.'
'Staan alle wegen erop?' vraagt Gideon.
Isabel begint te lachen.
'Nee, niet alle.
Maar zo groot is het hier niet.
Je vindt de weg heus wel.
En anders vraag je het maar aan iemand.
Dat durf je toch wel?
Of vind je dat eng?'

'Nee hoor,' zegt Gideon stoer.
'Ik fiets thuis zo vaak alleen ergens naar toe.'
Ze lopen samen terug naar de blauwe fiets.

Helm op

Gideon pakt de kaart aan en stapt op.
'Wilt u tegen mijn vader zeggen, dat ik ben
gaan fietsen?'
'Waar is Martin dan nu?'
'Hij geeft watergym bij het zwembad.'
'Ik zeg het wel even tegen je vader,' zegt
Isabel.
'Trouwens, even iets heel anders.
Je moet wel een helm op als je gaat fietsen.'
Gideon trekt een vies gezicht.
'Een helm op?
Ik wil er niet uitzien als een idioot.'
'Doe niet zo raar,' zegt Isabel.
'Als jij geen helm opdoet, vertel ik je niet waar
de zweefberg is.'
'De zweefberg?'
Gideon wordt al nieuwsgierig.
'Wat is dat voor berg?'
'Doe je een helm op?' vraagt Isabel.
Onwillig knikt Gideon.
'Oké.'
Isabel trekt de kaart weer uit Gideons handen
en vouwt hem open.

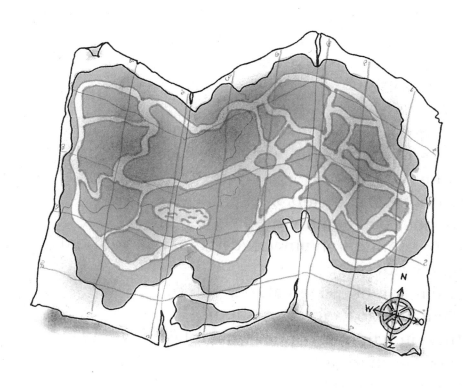

'Kijk, hier moet je naar toe.'
Ze wijst op een klein weggetje.

'Dat is midden in de heuvels.
Er zitten veel kuilen en hobbels in.
Vlak achter de derde heuvel zit een hele hoge hobbel.
Die heuvel wordt de zweefberg genoemd.
Als je hard genoeg over die hobbel fietst,
zweef je een klein stukje door de lucht.'
Gideons ogen beginnen te glanzen.
'Daar ga ik heen.
Bedankt voor de tip, Isabel.'
Hij pakt de kaart weer aan.
Isabel pakt een helm van de stapel en zet hem op Gideons hoofd.
'Staat je leuk.
Zal ik een foto van je maken?'
Gideon schudt heftig zijn hoofd.
'Nee, ik ga er nu vandoor.
Ik blijf wel een tijdje weg, denk ik.
Het is zo'n mooi weer.'
Vrolijk springt hij op de fiets en trapt weg.

Fietspaden zijn er niet.
Gideon rijdt gewoon over de weg, waar ook de auto's rijden.

Tot nu toe heeft hij ook niet zoveel fietsen
gezien.
De meeste mensen gaan met de bus of rijden
auto.
Zelfs de kinderen gaan niet op de fiets naar
school.
Dat ziet Gideon elke dag.
De scholen hebben nog geen vakantie.
Dat is heel anders dan thuis.
Daar is de zomervakantie drie weken geleden
al begonnen.
De meeste kinderen worden hier met de auto
naar school gebracht.
Maar ik ben lekker vrij, denkt Gideon.
En ik ben lekker aan het fietsen.
Op een pleintje stopt hij even om te kijken hoe
hij verder moet.
Volgens de kaart moet hij nog heel lang
rechtdoor en dan rechtsaf naar Parkietenbos.
Zo heet de wijk waar hij heen wil.
Dan moet hij linksaf de Mauritslaan in.
Al snel fietst hij de stad uit.
Het waait een beetje en het is niet heel druk.
Af en toe komt er een auto voorbij.
De chauffeurs kijken hem steeds verbaasd aan.

Wie gaat er nou midden op de dag voor zijn lol
fietsen?
In de verte ziet Gideon een groot bord.
Parkietenbos staat erop.
Aha, denkt Gideon.
En nu de Mauritslaan opzoeken.
Hij kijkt opzij of hij straatnaamborden ziet, maar
die zijn er niet.
Dat is gek, denkt Gideon.
Zo is het wel moeilijk om de weg te vinden.

De Mauritslaan

Op de hoek van de straat is een café.
Er zitten twee mannen op het terras te kaarten.
Gideon remt en stapt af.
'Hallo, ehm, ik wil even wat vragen, kan dat?'
'Hallo jongen,' zegt een van de mannen.
'Natuurlijk mag jij wat vragen.
Kom er gezellig bij.'
De man maakt een uitnodigend armgebaar.
Hij schuift een stoel naar achteren.
'Ga zitten, ga zitten.'
Aarzelend gaat Gideon zitten.
Hij wil eigenlijk alleen maar de weg vragen.
De man steekt zijn hand uit.
'Ik ben Charlie.'
Hij wijst naar zijn kaartpartner.
'En dit is Winston.
Hoe heet jij?'
'Gideon.'
'Dat is een mooie naam, knul.
Kun je kaarten?'
'Eh ja, eh, pesten en...'
'Wat zeg je nou?

Dat klinkt niet als een kaartspelletje.'
'Toch is het echt zo,' zegt Gideon knikkend.
'O ja,' zegt Winston lachend.
'Leer ons dat spelletje van jou maar eens.'
Hij legt het pakje kaarten met een klap op tafel.
Gideon kijkt ernaar.
'Ik eh wil eigenlijk alleen maar weten...'
'Kom op jongen,' zegt Charlie.
'Doe even mee, ja.
Een potje pesten met ons.
Wil je wat drinken?
Dan moet je even naar binnen lopen.'
Gideon kijkt naar de deur.
Daarachter is het heel donker.
Daar wil ik niet heen, denkt Gideon.
'Nee, dank u,' zegt hij glimlachend.
'Ik heb geen dorst.
Ik ga weer fietsen, naar de zweefberg.
Weten jullie waar die berg is?
Ik zoek de Mauritslaan.'
'Oh, de Mauritslaan,' zegt Charlie.
'Ja, die kennen wij wel.
Maar eerst moet je ons uitleggen hoe pesten
gaat.'
Dat kunnen jullie al, denkt Gideon.

Maar hij zegt niet hardop wat hij denkt.
'Oké,' zegt Gideon en hij deelt de kaarten uit.
'Pesten gaat zo.'
Hij legt de mannen uit hoe het spelletje gaat.
'Willen jullie me nu vertellen waar de
Mauritslaan is?'
'Ja natuurlijk,' zegt Winston.
Hij wijst met zijn duim over zijn schouder.
'Hierachter het café is de Mauritslaan.'
'Maar er staat helemaal geen bord met die
naam,' zegt Gideon verbaasd.
'Ach, zo groot is het hier niet,' zegt Charlie.
'Iedereen weet dat de Mauritslaan begint bij
het café.'
Gideon staat op.
'Nou bedankt en eh... kaart ze nog.'
Hij steekt zijn hand op en stapt weer op zijn
fiets.
'Bye, bye,' roepen de mannen.

Gideon fietst de Mauritslaan in.
Hier beginnen de heuvels.
Hij moet steeds harder trappen.
Ligt dat alleen aan de heuvels? denkt Gideon.
Hij kijkt naar de lucht.

Die is stralend blauw.
Het is alleen iets harder gaan waaien.
Nu weet ik wat het zwaar maakt, denkt Gideon.
Ik heb tegenwind.
Gewoon doortrappen.
Ik wil naar die zweefberg.
Wat had Isabel ook alweer gezegd?
Achter de derde heuvel geloof ik.
Gideon telt hardop.
'Dit is de eerste.
En dat dus de tweede.
Dan moet dit de derde zijn.'
Hij zet zijn fiets in een lagere versnelling.
Dan maakt hij zoveel vaart als hij kan.
Bovenop de heuvel is het 't spannendst.
Wat zou er gebeuren?
Nu kan hij het pas zien.
En inderdaad zit er vlak achter de top een
grote hobbel.
Gideon rijdt eroverheen en voelt heel snel zijn
bloed naar zijn hoofd stijgen.
Het lijkt wel of hij zweeft!
Gideon slaakt een ijselijke kreet.
Dit is tof, zeg.
Onderaan de heuvel stopt hij om te keren.

Hij fietst weer helemaal terug naar de andere kant.
Dit gaat hij nog tachtig keer doen.

Kleuters

Na de vijfde keer is Gideon doodmoe.
Hij zet zijn fiets tegen een palmboom en gaat
ernaast op de grond zitten.
Hij haalt een blikje fris uit zijn rugzak en maakt
het open.
Terwijl hij gulzig een slok neemt, kijkt hij om
zich heen.
Aan de overkant van de weg, op de vierde
heuvel, staat een schoolgebouwtje.
Er zijn wat kleuters aan het spelen.
Dan komt er een juf naar buiten.
Ze roept iets tegen de kinderen.
Gideon kan niet verstaan wat ze zegt.
De kleuters rennen snel naar binnen.
Nou zeg, waarom hebben ze zo'n haast? denkt
Gideon.
Hij neemt op zijn gemak nog een slokje.
Het volgende moment staan alle kleuters voor
het raam.
Ze drukken hun neus tegen de ramen en
wijzen naar Gideon.
Huh? denkt Gideon.
Wat is er met mij?

Waarom wijzen ze zo naar me?
Hij haalt zijn schouders op en blijft rustig zitten.
Plotseling verschijnt de juf voor de school.
Ze loopt naar Gideon toe.
Ze wenkt hem.
'Kom snel,' roept ze al van grote afstand.
'Kom gauw de school in.
Het gaat onweren.
Kom, je wordt helemaal nat.'
Gideon staat op.
'Hoe kan het nou gaan onweren?' zegt Gideon
ongelovig.
'Het is prachtig weer.'
De juf is intussen dichterbij gekomen.
'Kijk maar eens naar de lucht.
Je moet opschieten.
Je mag wel even in ons gebouw schuilen.'
Gideon kijkt omhoog.
En dan schrikt hij enorm.
In de verte hangen grote dikke onweerswolken.
Ze komen razendsnel dichterbij.
'Over drie minuten is het onweer hier,' zegt de
juf.
'Kom mee.'

Zonder verder tegen te sputteren loopt Gideon
met de juf mee de school in.
'Hoe heet je eigenlijk?' vraagt de juf.
'Gideon.'

De kleuters staan nog steeds voor het raam.
Plotseling begint het te regenen.
En niet zo'n beetje ook.
Binnen een minuut kun je bijna niet meer naar
buiten kijken.
De regen vormt een grijs mistig gordijn.
'Juffie, kom eens kijken!' roept een kleuter.
'Die jongen zijn fiets drijft weg!'
Gideon en de juf lopen snel naar het raam.
Gideons fiets is omgevallen en wordt langzaam
maar zeker door het regenwater meegenomen.
'O nee,' zegt Gideon bezorgd.
'Die fiets mag niet kapotgaan.
Hij is niet van mij.
Straks moet ik die fiets weer teruggeven.
Ik moet hem echt gaan halen.
Mag hij even in de school staan?'
De juf knikt.
'Ja, dat mag wel.
Blijf jij maar binnen.

Ik ga hem wel even halen.
Zorg jij er dan voor dat alle kleintjes in de klas
blijven.'
Voordat Gideon nog iets kan zeggen, is de juf
de klas uit gelopen.
Even later loopt ze buiten met een grote
regenjas aan.
Het stormt nu echt en het onweert.
Om de paar tellen ziet Gideon het bliksemen.
Zo'n onweer heeft hij nog nooit meegemaakt.
'Gebeurt dit wel vaker?' vraagt Gideon aan
een jongetje.
'Ja hoor, zo vaak,' zegt het jongetje.
'En wat doen jullie dan?'
'Gewoon, niks.'
Gideon kijkt weer naar buiten.
De juf heeft Gideons fiets opgepakt.
Ze probeert nu terug te lopen naar de school.
Dat is heel moeilijk, want ze moet tegen de
wind in.
Er begint iets te kraken.
'Wat hoor ik nou?' vraagt Gideon.
'Ik ben bang,' roept een klein meisje.
'Juffie komt niet terug.'
'Jawel,' zegt Gideon geruststellend.

'Ze komt steeds dichterbij.
Kijk maar goed.'
Het gekraak klinkt luider en luider.
'Het is de boom!' roepen de kinderen.
Voor de school staat een grote palmboom.
Gideon kijkt omhoog.
Het lijkt inderdaad of de boom schever staat
dan daarnet.
'Kom op, juf, schiet op,' mompelt Gideon.
De juf komt langzaam maar zeker dichterbij.
Ze is nu bijna bij de school.
Gideon wil eigenlijk naar haar toe gaan, maar
ze heeft gevraagd of hij bij de kleuters wil
blijven.
Gaat het wel goed?
De juf doet de schooldeur open.
Ja, ze is binnen.
Gideon ziet een grote bliksemflits.
Dan klinkt er een keiharde knal.
De palmboom begint nu angstwekkend te
kraken.
Hij valt langzaam maar zeker om, in de richting
van de school!

Klem

De kleuters beginnen te gillen.
'De boom... juffie... de boom!'
Gideon duwt de kinderen snel naar de verste
hoek van de klas.
'Hierkomen, snel, anders krijg je de boom op je
hoofd!'
Doodsbang kijken de kinderen omhoog.
Met een donderend geluid valt de boom op het
dak van de school... door het dak... in de klas.
Even horen ze alleen de regen... en dan horen
ze juffie gillen.
'Au, help, ik zit vast!'
Alle kinderen beginnen te huilen en te gillen.
Ze proberen naar de juf toe te klimmen.
Gideon stuurt ze terug naar een hoek waar het
nog droog is.
'Blijf hier zitten.
Ik ga de juf zoeken.'
Het is een chaos in de klas.
Gideon kan nog net om de boom heenlopen.
Daar ligt de juf.
Onder de palmboom.
'O wat vreselijk,' zegt Gideon geschrokken.

'Het doet zeker erg pijn, hè?
Kunt u nog wel lopen?
Wat moet ik doen?'
De juf kermt en zegt:
'Ja, het doet heel erg zeer.
Ik denk niet dat ik kan lopen.
Die boom ligt bovenop mijn been.
Ik denk dat hij gebroken is.
Je moet zo snel mogelijk hulp halen.'
'Moeten we die boom niet eerst van uw been
afhalen?' vraagt Gideon zenuwachtig.
'Misschien kunnen de kleuters me helpen.'
Hij loopt meteen weg om de helft van de groep
op te halen.
'Jullie moeten met mij meekomen.
Juffie is gevallen en nu moeten jullie allemaal
even helpen.'
De kleuters komen langzaam tevoorschijn.
Met grote ogen staan ze naar de juf te kijken.
'Gaan jullie maar aan die kant van de boom
staan, naast elkaar.'
Snel loopt Gideon weer naar de andere kant
van de boom.
'Jullie moeten hier komen staan, bij mij.'

Door het lawaai van de storm moet Gideon
steeds harder praten.
'Nu gaan we met z'n allen de boom een heel
klein stukje optillen.
Dan trek ik de juf eronderuit.
Begrijpen jullie dat?'
De kinderen knikken langzaam.
'Oké,' zegt Gideon, 'ik tel tot drie: een, twee,
drie!'
De kleuters doen vreselijk hun best.
De boom gaat een centimeter omhoog en zakt
weer terug op het been van de juf.
'Au!' roept ze met haar ogen dicht.
'We proberen het nog een keer,' zegt Gideon.
'Een, twee, drie!'
Het lukt niet.
De kleuters kunnen de boom niet lang genoeg
omhooghouden.
Gideon kijkt om zich heen naar een
hulpmiddel.
Intussen is iedereen doornat.
'Ik weet wat,' roept Gideon.
'We zetten een stoel onder de boom.'
Hij rent naar achteren en pakt de stoel van de
juf.
Het uiteinde van de boom ligt niet op de grond.

Daar zet Gideon de stoel neer.
Hij duwt net zo lang tot de stoel klem staat
onder de boom.
'En nu weer tillen allemaal: een, twee, drie!'
De boom gaat weer een heel klein stukje
omhoog.
Gideon duwt zo hard hij kan de stoel eronder.
De stoel schuift een centimeter op.
De boom komt iets hoger te liggen.
'Ja, goed zo, dat doen we nog een keer: een,
twee, drie!'
Gideon duwt weer heel hard tegen de stoel.
En dan zegt de juf opgelucht: 'Stop maar,
kinderen.
Mijn been is vrij.
De boom is los!'
Gideon trekt de juf langzaam onder de boom
vandaan.'
'Allemaal naar de hoek!' roept hij.
'Daar is het nog droog.'
De kleuters rennen weg.
De juf ziet zo wit als een doek.
'Je moet even een handdoek, een stok en wat
touw pakken, Gideon.
Je moet mijn been spalken.'

'Spalken?
Wat is dat?'
'Dat leg ik je zo uit.
Doe maar even wat ik vraag.'

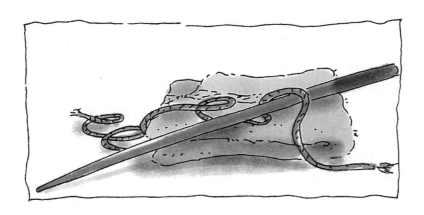

Gideon pakt de aanwijsstok.
De kleuters weten waar het touw is.
Uit een kast pakt hij een grote handdoek.
Met zijn armen vol spullen loopt hij terug naar
de juf.
'Dit heb ik kunnen vinden.'
'Dat ziet er goed uit.
Leg nu de stok naast mijn been.
En schuif nu langzaam de handdoek eronder.
Voorzichtig, voorzichtig!
Bind nu de handdoek met het touw stevig vast.

Nu kan mijn been niet meer bewegen.
Dat is goed.'
Gideon sleept de juf voorzichtig naar de hoek
waar de kinderen zitten.
De juf kreunt van de pijn.
Ze kijkt om zich heen.
'O, jullie zijn allemaal kleddernat.'
'Wacht maar,' zegt Gideon.
'Ik haal nog wel wat handdoeken.
En ik ga een ziekenwagen voor u bellen.
Waar is de telefoon?'
De juf wijst naar de gang.
'In dat kamertje staat de telefoon.
Het alarmnummer staat in een boekje dat op
het bureau ligt.'
Gideon pakt snel een stapel handdoeken en
deelt ze uit aan de kleuters.
Dan rent hij naar het kamertje en pakt de
telefoon op.
De lijn is dood.
'Hij doet het niet,' roept hij.
'Och, dan is er zeker een telefoonpaal geraakt
door de bliksem,' zegt de juf.
'Wat nu?'
'Ik ga op de fiets hulp halen.'

'Och jongen toch, dan moet je toch nog door
die verschrikkelijke storm.'
'Dat geeft niets,' zegt Gideon dapper.
'Ik durf dat wel.'
Hij pakt zijn fiets op, die vlak bij de deur ligt.
Zijn stuur staat een beetje scheef.
Gelukkig kan hij dat gewoon weer rechtzetten.
'Ik kom heel snel terug,' roept hij troostend.
'Met een ziekenauto!'

Hulp

Even plotseling als het begonnen is met
regenen, stopt het weer.
Gideon kijkt omhoog.
Ongelooflijk, denkt hij.
Net onweerde het zo vreselijk en nu is het
stralend weer.
Hij fietst terug naar het café.
Hopelijk doet de telefoon het daar wel.
Hij tuurt in de verte en begint te lachen.
Moet je nou toch kijken.
Winston en Charlie zitten nog steeds te
kaarten, alsof er niets gebeurd is.
'Hé, jongen.
Ben je daar alweer?', vraagt Winston.
'Kon je het niet vinden?'
'Jawel, natuurlijk kon ik de weg vinden, maar ik
heb hulp nodig.'
'Waarmee?' vraagt Charlie lachend.
'Kun je niet meer fietsen?'
Gideon schudt ongeduldig zijn hoofd.
Hij heeft nu geen tijd voor grapjes.
'Er is een boom op de kleuterschool gevallen.
De juf heeft haar been gebroken.

Er moet een ziekenauto komen.
Kan ik hier binnen het alarmnummer bellen?'
Meteen staan de mannen op.
'Leon,' roepen ze naar binnen.
'Doet de telefoon het?'
Leon, de eigenaar van het café, komt naar
buiten.

'Nee, de telefoon is weer eens uitgevallen.
Hoezo, wat is er aan de hand?'
Gideon vertelt het verhaal nog eens.
'Ik ken de juf wel,' zegt Leon.
'Dat is Maria.
Zeg, jullie hebben toch een vrachtwagen?'
'Ja, natuurlijk,' roept Winston.

'Kom Charlie, we gaan haar ophalen.'
'Mogen mijn fiets en ik mee?' vraagt Gideon.
Winston knikt.
Ze lopen naar buiten.
Charlie tilt de fiets achterin de vrachtwagen.
Dan klimmen ze alledrie voorin.
Leon steekt zijn hand op.
'Succes!'
Binnen vijf minuten zijn ze bij de kleuterschool.
De mannen schrikken van wat ze zien.
'Wat een geluk dat er geen kinderen onder
gekomen zijn!' zegt Winston.
Juffie zit op de grond liedjes met de kinderen te
zingen.
'Hier ben ik weer,' zegt Gideon.
'De ziekenauto komt niet, maar Winston en
Charlie brengen u wel naar het ziekenhuis.'
De juf glimlacht een beetje.
'Dank jullie wel.
Maar de kleuters kunnen niet alleen blijven.
Kan één van jullie hier blijven tot de ouders
komen?'
'Doe jij dat, Winston?' vraagt Charlie.
'Natuurlijk,' zegt Winston stoer.

Hij gaat op een tafel zitten en haalt een pakje kaarten tevoorschijn.
'Kunnen jullie pesten?'

Intussen dragen Gideon en Charlie de juf op een plank naar de vrachtwagen.
Gideon gaat achterin bij de juf zitten.
Heel langzaam rijdt Charlie naar het ziekenhuis.
Hij kan wel sneller, maar dan hobbelt de juf te veel.
Bij het ziekenhuis is het druk.
Blijkbaar zijn er nog veel meer ongelukken gebeurd tijdens het onweer.
De juf pakt Gideons hand.
'Heel erg bedankt, Gideon.
Je bent fantastisch.'
Gideon haalt zijn schouders op.
'U ging mijn fiets redden.
Daardoor kwam het allemaal.
Ik hoop dat u snel weer beter wordt.'
Gideon geeft Charlie een hand.
'Bedankt voor het meerijden.'
'En jij bedankt voor het pesten.'
De juf kijkt verbaasd.

'Voor het pesten?'

Charlie grinnikt.

'Die jongen heeft ons een nieuw kaartspelletje geleerd.'

Met een brancard wordt de juf het ziekenhuis ingereden.

Gideon stapt op zijn fiets en zwaait nog een keer.

'Tot ziens.'

Een doos met verrassing

Ik hoop dat ik Isabel niet meteen tegenkom,
denkt Gideon.
Dan ziet ze hoe mijn fiets eruitziet.
Ze gelooft waarschijnlijk niet eens wat er
gebeurd is.
O, o, dat is pech hebben.
Isabel staat net voor de deur.
'Hé, Gideon.'
Ze wuift.
'Heb je de zweefberg gevonden?'
Gideon kan niet anders dan naar haar toe
fietsen.
Als hij dichterbij komt, schrikt Isabel.
'Wat zie jij eruit, zeg.
Wat heb je gedaan?'
Ze bekijkt hem van onder tot boven.
'Waar is je helm?
Wat is er met die fiets gebeurd?
Waarom zie jij er zo verkreukeld uit?'
'Ja, eh, nou,' stottert Gideon.
'Mijn helm ligt nog op school.
En mijn fiets is bijna verdronken.
En ik moest de juf spalken, dus...'

Isabel schudt haar hoofd.
'Ik snap er weer eens helemaal niets van.
Ga je maar gauw douchen.
Als je vanavond aan tafel zit met je vader, wil ik
het hele verhaal horen.'

Martin, Gideons vader, vindt het een geweldig avontuur.
'Zulke dingen maak ik nou nooit mee,' grinnikt hij.
'Ik geef alleen maar les aan saaie toeristen.'
Gideon lacht.
'Nou, dat valt wel mee, pa.
Jij beleeft ook wel gekke dingen met die mensen.'

Een paar dagen later wordt er een grote doos voor Gideon bij het hotel bezorgd.
Nieuwsgierig maakt Gideon hem open.
Wat is dat nou?
Het is zijn fietshelm.
Maar hij ziet er wel heel anders uit dan eerst.
De juf heeft er een brief bij gedaan.

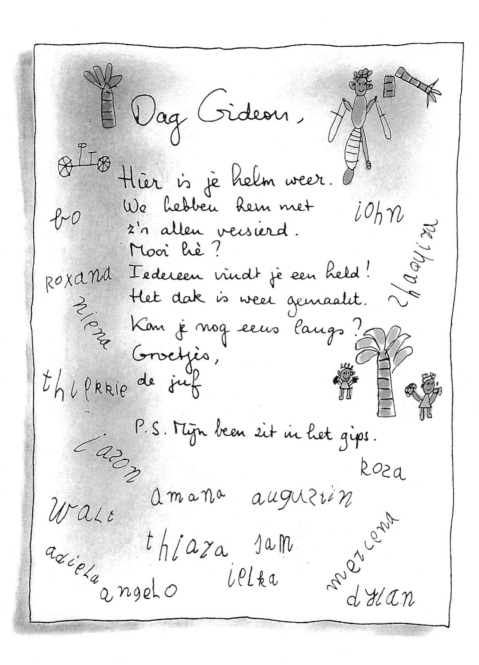

Dag Gideon,

Hier is je helm weer.
We hebben hem met
z'n allen versierd.
Mooi hè?
Iedereen vindt je een held!
Het dak is weer gemaakt.
Kom je nog eens langs?
Groetjes,
de juf

P.S. Mijn been zit in het gips.

bo
roxand
niena
thiekkie
jason
wali
adiela
amana
thiaza
angelo
ielka
augustin
jam
john
zhaayim
roza
mercena
dylan

48